CW00338381

NON PAS DODO !

À Mon Loulou

ISBN 978-2-211-20499-6
Première édition dans la collection *lutin poche* : avril 2011

Loi numéro 49 956 du 16 juillet 1949 sur les publications
destinées à la jeunesse : mars 2010
Dépôt légal : avril 2011
Imprimé en France par Clerc SAS à Saint-Amand-Montrond

Stephanie Blake

NON PAS DODO !

lutin poche de l'école des loisirs
11, rue de Sèvres, Paris 6e

Aujourd'hui,
Simon
et
son petit frère
Gaspard
vont
construire une
MÉGA
TOP
GIGA
GRANDE
cabane.

Lorsqu'ils ont trouvé le bon
emplacement,
Simon
explique à
Gaspard
son plan de construction.
Il faut prendre la

GRANDE

couverture.
« Nous allons l'accrocher là-bas »,
dit Simon.
« Vi laclocher laba ! »
crie Gaspard.

« Elle est
MÉGA GIGA GRANDE,
notre cabane !
Elle est trop STYLÉE ! » dit Simon.
« TLO STYLÉE ! » répète Gaspard.
Comme la nuit commence à tomber,
il est l'heure de rentrer.
« Viens, Gaspard,
Maman nous attend pour manger.
Demain matin, on reviendra
très
très
très
tôt
pour décorer notre cabane ! »

Ce soir-là,
Simon et Gaspard
se couchent en rêvant
à la grande journée
qui les attend le lendemain.
Mais soudain,
clic-clic !
Gaspard ouvre ses yeux…

et dit :

« MON DOUDOU !
LÉDANLACABANE !
Mon doudou !
Je
veux
mon
DOUDOU ! »

Tout d'abord,
Simon réfléchit.
Et puis il dit :
« On ne peut pas aller chercher
ton doudou, Gaspard, il fait nuit. »
« Mais moilépeupadormir sans
mon doudou ! » explique Gaspard.
« Fais DODO sans DOUDOU
sinon je me fâche, bébé cadum »,
dit Simon.
« PAS DOUDOU ?
Alors,
NON PAS DODO ! »
hurle Gaspard.

fais dodo sans doudou!
PAS DOUDOU?
NON PAS DODO!

Simon
prend alors
une grande décision.
« Gaspard !
Apporte ma cape !
Je vais chercher
ton
doudou ! »

« Moilévien avétoi », dit Gaspard.
« Non, Gaspard, tu es trop petit,
tu restes ici. »
Et Simon s'en va dans la nuit noire
qui s'étend devant lui.

Tout d'abord,
Simon
trouve qu'il fait froid.
Et le sol est un peu mouillé,
alors il court un peu plus vite.

Petipa, petipa, petipa,

font
ses
pas
dans
la
nuit.

Lorsque Simon arrive à la

TOP

MÉGA

GRANDE

cabane,

il trouve le doudou de Gaspard.

Il est

trop

fier de lui.

Il est

Superlapin.

Même qu'il est

Supermégatoplapin.

Et il n'a peur de

rien !

Alors il reprend tranquillement
le chemin de la maison.
Mais là, tout près,
derrière lui,
il entend comme un bruit,
ou plutôt comme un souffle.
Comme si quelqu'un respirait :
« C'est le vent ! Mais oui !
Que je suis bête ! Je ne vais pas avoir
peur d'un peu de vent ! »
Mais Simon n'est pas très rassuré,
il a bien l'impression d'avoir vu
quelque chose bouger là,
tout près dans la nuit noire.
Et lorsqu'il se retourne…

Il voit

un

MAXI

MÉGA

GIGA

MONSTRE

prêt à le dévorer.

« GAAAASSPAAAAARD ! »

crie Simon, et

il court,

il court,

il court,

si vite que…

Très
vite,
il
arrive
à
la
maison.

Et tout le reste de la nuit,
Simon
raconte à
Gaspard
son extraordinaire aventure.
Et vraiment,
Gaspard
est
très
très
très
fier
d'avoir un
grand
frère comme lui.

Le lendemain matin,
au petit déjeuner,
Maman
est très
surprise
d'avoir
deux
petits
lapins
endormis.